DAN BWYSAU

barddoniaeth boced-din

englynion DAN BWYSAU

Gol. EMYR LEWIS

Argraffiad cyntaf: Awst 2005

Rhif Llyfr Safonol Rhyngwladol:
0-86381-997-4

Cyhoeddwyd gan
Carreg Gwalch Cyf,
Ysgubor Plas, Llwyndyrys, Pwllheli,
Gwynedd LL53 6NG.
llyfrau@carreg-gwalch.co.uk
lle ar y we: www.carreg-gwalch.co.uk

Cyflwyniad

Mae gan ysgrifennydd cymdeithas Barddas, y digymar Ddafydd Islwyn, ddwy sach. Yn y sachau hyn mae pump ar hugain o ffeiliau. Yn y rhain, sy'n cynnwys aneirif is-ffeiliau, fe geir holl gynnyrch ymrysonau beirdd yr Eisteddfod Genedlaethol ers chwarter canrif, yn gwpledi, englynion cywaith, englynion a limrigau'r dydd, ynghyd â'r ystadegau sgorio, a nifer o sylwadau ymyl y ddalen gan y rhai fu'n meurynna.

Mae hon yn drysor o archif, ac mae fy niolch i'n enfawr i Dafydd Islwyn ac i gymdeithas Barddas am roi benthyg y sachau i mi er mwyn creu'r gyfrol hon.

Uwchben pob blwyddyn, rwyf wedi nodi rhai o ddigwyddiadau'r flwyddyn honno. Wrth fynd drwy'r sachau, diddorol oedd sylwi sut y mae ambell thema wleidyddol wedi aros yn rhan o gonsýrn y beirdd (dyfodol yr iaith a chymunedau Cymraeg), ac eraill wedi mynd a dod (Comin Greenham, Margaret Thatcher). Diddorol hefyd oedd gweld sut mae cynnwys gwleidyddol englynion yn tueddu i amrywio o flwyddyn i flwyddyn. Weithiau mae'r cyfeiriadau'n fynych, dro arall yn brin. Mae'r nodiadau felly'n dangos cyd-destun ambell englyn, neu'n dangos y bwlch rhwng y Maes a'r byd mawr.

Does neb yn pwdu fel beirdd. A does dim beirdd yn pwdu fel beirdd ymryson yr Eisteddfod Genedlaethol. Dros baned neu beint, mae'r sawl gafodd lai na deg marc gan y meuryn (ac ambell un gafodd ddeg hefyd) wedi brolio rhagoriaeth ei englyn dros bob un arall yn y gystadleuaeth. Peth ofnadwy ydi gorfod barnu, a does dim fel chwaeth (neu chwant ys dywedodd un Prifardd ffraeth unwaith) y meuryn wrth dafoli i godi gwrychyn y beirdd.

Dwi'n betrus felly o egluro sut y gwnaed y detholiad hwn, ond dyma rai rheolau a osodais:

- Rhaid cael chwech englyn o bob blwyddyn. Cedwais y rheol hon.

- Rhaid peidio â chynnwys englynion sydd eisoes yn y gyfrol *Deg Marc* (a gyhoeddwyd gan Wasg Carreg Gwalch yn 1999). Cedwais y rheol hon. Ambell flwyddyn, roedd hyn yn cyfyngu'n fawr ar y dewis. Dro arall, roedd y dewis mor eang nes efallai brofi pwynt y beirdd pwdlyd na chafodd ddeg marc.

- Dylid ceisio osgoi ar y naill law englynion sy'n cynnwys y morbidrwydd hwnnw sydd weithiau'n nodweddu'r ymryson, ac ar y llaw arall englynion sy'n cynnwys enwau gwirion, cymeriadau stoc yr ymryson a hiwmor anghynnil cerdyn post. Ceisiais, ond, ys dywedodd Saunders Lewis, methais yn llwyr.

- Dylid defnyddio englynion yr ymryson yn unig. Torrais y rheol hon drwy gynnwys ambell englyn y dydd. Cynhwysais hefyd ambell englyn na welodd (os cofiaf yn iawn) olau dydd, oherwydd bod y tîm wedi dewis un arall.

- Rhaid osgoi gormod o'r *in-jokes* sy'n dueddol o fritho'r ymryson – beirdd yn gwneud hwyl am ben ei gilydd a'r meuryn. Cynhwysais, fodd bynnag, ambell un, yn eu plith englyn yn cyfarch Dafydd Islwyn ar ei urddo'n aelod o'r orsedd, yn rhannol er mwyn diolch iddo am ei gymwynas, ac yn rhannol er mwyn dangos clyfrwch geiriol ffraeth y diweddar T. Arfon Williams.

- Rhaid cynnwys dim ond englynion unodl union. Fe wêl y beirniad craff 'mod i wedi torri'r rheol hon drwy gynnwys un englyn toddaid.

Mi ddylwn grybwyll hefyd nad wyf wedi dynodi y llinellau neu'r geiriau gosod o waith y gwahanol feurynnod. Gwn eu bod (y meurynnod, hynny yw) yn bobol radlon a charedig, a hyderaf y caf faddeuant.

Mae sawl peth gwych ar ôl yn archif Dafydd Islwyn, gan gynnwys nifer fawr iawn o englynion y dydd anfuddugol, ac englynion cywaith gwrthodedig, ond mae'n rhaid i mi gloi'r rhagair gyda'r englyn hwn, o waith y 'Tîm Dirgel' fel y cefais ef, ynghyd â'r nodyn testun esboniadol:

Ymrysona am y tro cynta'

Bûm yno am bum munud – munude
        Mewn gwagle stryffaglyd;
    Rheini'n rhai hir o ran hyd
    Hunlle 'di'r sîn farddonllyd!

Mae gwaith y tîm hwn yn awgrymu y bydd beirdd Cymru'n parhau i ddathlu, barnu ac anwybyddu'r byd mawr o lwyfan y Babell Lên am dipyn eto, ac y bydd angen mwy o sachau ar Dafydd Islwyn.

Emyr Lewis

Caernarfon 1979

Cymru, drwy refferendwm, wedi gwrthod cynulliad; Margaret Thatcher wedi ei hethol yn Brif Weinidog; neb yn deilwng o'r gadair ond roedd tre'r Cofis yn fawr ei chroeso i'r Eisteddfod...

I'w thranc, a'i hiaith ar encil – y gwibia.
Ai'r gobaith yw ymbil
Gan ymddiried tynged hil
I ymroddiad mor eiddil?

Ieuan Wyn

Mae hen goel ym min y gwynt – hen rybudd
Yn rhaib y dwyreinwynt;
A choed gadarned â chynt,
Er i'w ddwrn hyrddio arnynt.

Gwynfor ab Ifor

A nyddodd rhyw Wyneddwr – eleni
Awdl lân, neu Ddeheuwr?
Fel beirniad, nid wyf fradwr,
Un distaw wyf, a di-stŵr.

Alan Llwyd

J.C.B.

Mae y turiwr materol – yn anferth
Fel anghenfil ysol;
Darniwr dur hen erwau dôl
Yn fodern a chynfydol.

Tîm Hiraethog

Y Cofi

Hwn yw priod 'r hen fodan – Mêt y Prins,
Meiti prowd o'i dreflan;
Un â'r iaith ohono'n rhan –
Co, gwmab, niwc a giaman.

Tîm Eifionydd

Yr Eisteddfod

Mae'n dlawd ac mewn dyledion – ond eto
Daw atom yn gyson;
Dyry faeth i'r hen dref hon
A dychwelyd i'w chalon.

Gwynfor ab Ifor

Dyffryn Lliw 1980

Gwynfor Evans yn cychwyn ei ymgyrch am sianel Gymraeg yn dilyn tor-addewid y llywodraeth; Shah Persia yn ffoi i'r Aifft rhag y chwyldro Islamaidd; yr Eisteddfod yn trafod gollwng 'Brenhinol' o'i theitl; a baw a mwd ym mhob man...

Rhai call sy'n parchu'r cylla – a byw fyth
Heb foethus or-wledda;
Hwn yw'r doeth, drwy'i synnwyr da
Sy' ofalus o'i fola.

Sion Aled

Er mynd shwc shac drwy'r llaca – yn ddi-hwyl
Gan ddyheu am hindda
Ni all hŷn digymell ha'
Atal ein heisteddfota.

Tîm Gogledd Ceredigion

Tlodaidd yw'r dogn teledu – a roddir
Heddiw i ni'r Cymry;
Ond daw awr pan seinia'r tŷ
I Wynforaidd yfory.

Rhys Dafis

Y Shah

Egred yn ei holl alluowgrwydd – oedd,
Ond aeth â'i bwysigrwydd
A'i olud i gyd o'n gwydd,
A'i rwysg ar bedair ysgwydd.

Tîm Llansannan

Bu'r hen enw brenhinol – ar yr ŵyl
Gan rai yn dderbyniol,
I babell mae'n well mynd 'nôl
Na gweriniaeth ymgreiniol.

Wyn James

Ffenestr Liw

Ni allwn fynd i golli yn y gwyll
Cans cyllell sy'n hollti'i
Ddüwch ef, un harddwych hi
A luniwyd o'r goleuni.

T. Arfon Williams

Machynlleth 1981

Tymor Geraint Bowen yn Archdderwydd yn dod i ben, a thymor Jâms Niclas yn cychwyn; y cyn-actor Ronald Reagan yn cael ei urddo'n arlywydd yr Amerig; ac fel pob blwyddyn roedd y chweched o Awst yn ddiwrnod Hiroshima...

Gwelodd gysgod llygoden – dan y stôl,
Dyna stŵr a sgrechen,
A hithau'r gath ar ei gwên
Yn edrych, fel hen bwdren.

D. Gwyn Evans

Geraint Bowen

Un gwylaidd a phengaled – mewn gwlad gaeth
Dyneiddiaeth ei nodded:
Gŵr eofn – gryf yn ei gred,
Dderwydd ein cydymddiried.

Tîm Alan Llwyd

Fe ddaethant hwy fel hwyaid – yn eu gwyn
A'u gogoniant tanbaid;
Edrych wnaeth Jâms ar wydraid –
Bu bron â llithro'n y llaid.

John Glyn

Gwelodd gysgod llygoden – yn stwyrian,
Llesteiriodd yn gymen,
Ei llach a'i gwib gan ŵr llên
A glowyd ym magl awen.

Alan Llwyd

Hiroshima

Chwilient, ond ofer chwalu'r – llonyddwch;
Nid oedd llwch yn llechu,
Ond cof am eneidiau cu:
Tawelwch lle bu teulu.

Tîm Hiraethog

Ofer, ofer yw trafod – a herio'r
Yfory diwybod,
Y bedd a'r diwedd sy'n dod,
Sŵn dy yrfa sy'n darfod.

D. Gwyn Evans

Abertawe 1982

Rhyfel ar ynysoedd y Malvinas; mewnlifiad i gefn gwlad Cymru; John Toshack yn profi llwyddiant fel rheolwr tîm pêl-droed y Swans, a Jacs yn joio mewn Eisteddfod ar gampws Prifysgol Cymru Abertawe...

Jacs

Jiw jiw medd y *Swansea Jack* – rhy hersaidd
Yw'r orsedd, dim *attack*
I'r hen Siâms fe rown y sac –
On'd dewisach John Toshack?

Dyfed

Colled

Er rhodres, grym a brwydro – i ennill
Dwy ynys a'u staenio,
Suddwyd cryn fwy na suddo
Y llongau, dan donnau – do!

Tîm Môn

I'n tŷ ni daeth *pet* newydd – *nanny goat*
Wel myn gafr, un lonydd;
Nefoedd fawr, y sawr y sydd!
Minnau af am y mynydd.

Tîm Môn

Hen benyd dry yn banig – i'w suddo
Mewn gorseddol draffig:
Dau o Jacs yn gwneud y jig
A phebyll clostroffobig.

Brinley Thomas

Di-hwyl yw'r hen adeilad – hagr ei wedd,
Lle bu gwres y Cariad:
A lle'r oedd argyhoeddiad
Y mae cur yr ymwacâd.

Roy Stephens

Ym Mryntirion Saeson sydd – a hipi
Di-siâp yn y Gwernydd;
A hwythau, hogiau Bryn Hydd
Yn awr yn Ne'r Iwerydd.

T. Arfon Williams

Llangefni 1983

Thatcher yn ei hôl a'r Blaid Geidwadol yn ennill 14 o seddi yng Nghymru; protestiadau gwrth-niwcliar Comin Greenham yn eu hanterth a'r beirdd yn cael anhawster dod i delerau â chamerâu yn y Babell Lên...

Rhy hawdd ydyw breuddwydion – a rhy hawdd
Ydyw'r holl obeithion,
A rhy hawdd i'r Gymru hon
Â realaeth mor greulon.

Ieuan Wyn

Ymbil ar iâr i ddodwy

Gyw Ephraim, wyt ddigyffro – dy hen nyth
Di'n wag heddiw eto
Dyro wy ar fyr o dro –
Neu ar hast fe gei rostio.

Tîm Ceredigion

Gwobr

Anghlod gadd am ei englyn – ni soniwyd
Am ei soned wedyn,
Am hir bu'n diawlio'r meuryn
Ei wobr oedd bod heb yr un.

Tîm Dwyfor

Yfed a hel merched! Mae o – yn rhydd
O'r rhain, ac o smocio,
Na bwyta bwyd na betio
Y gŵr hwn – waeth mae'n y gro.

Dic Jones

Wrthyf f'hun hiraethaf i – am a gaed
Yma gynt i'm llonni
Talent heb gamra teli
Tŷ i fardd heb H.T.V.

Myrddin ap Dafydd

Bytlings

Creu hafog yng nghymdogaeth Abererch
Wna brid 'rymerodraeth,
Eithr, â hwy ar hyd ei thraeth yn rhochian,
Pe bawn i'n wylan pibwn yn helaeth.

Tîm Gwehilion Cymru

Llanbedr Pont Steffan 1984

Cychwyn streic fawr y glowyr; marw Richard Burton; pryder bod Marinas cychod yn difetha trefi, ac awgrym un aelod seneddol bod angen llacio'r rheol Gymraeg yn codi gwrychyn yn y babell lên newydd...

Newydd yw'r bensaernïaeth – a newydd
Yw lliwiau'r symboliaeth;
Iraidd, hen ei barddoniaeth:
Llawr dyrnu ein canu caeth.

Peredur Lynch

Alltud

Ac yntau'n iau, addo wnaeth – yr âi'n ôl
O grynhoi'r gynhysgaeth,
Ond a fedd god a fydd gaeth
A threch aur na thorch hiraeth.

Tîm De Ceredigion

Yn isel ar bob noson – y mae Wil
Yn troi i mewn i'r Leion:
Nos Sul mae'n mynd i Seilo'n
Drwsiadus barchus i'r bôn.

Gwilym Herber Williams

Newydd yw'r bensaernïaeth – a newydd
Yw lliwiau'r symboliaeth.
Heddiw, wir, pob newydd aeth
Yn rhan o'r un Farinaeth.

Roy Stephens

Richard Burton

Mae miloedd am y waliau – yn eu du
Yn dawel eu lleisiau,
A lliain gwyn yn llen gau
Ar y gŵr aeth â'r geiriau.

Roy Stephens

Y Rheol Gymraeg

Er i rai ddianc o'r rhyd – yn yr hollt
Mae hen wraig lawn bywyd
Yn dal i warchod o hyd
Hen iaith ein hanesmwythyd.

Tîm Meirion

Y Rhyl 1985

Michail Gorbatsieff yn dod yn arlywydd yr Undeb Sofietaidd; streic y glowyr yn dod i ben a streic chwarelwyr yn dechrau; ffraeo am sancsiynau yn erbyn cyfundrefn hiliol De'r Affrig; Meg Elis yn ennill y fedal ryddiaith am gyfrol yn ymwneud â Chomin Greenham...

Hunllef

Ar fy ngwarthaf daw'r diafol – a rhoi'i gŵn
Ar ryw gwrs uffernol,
A llu'r fall oll ar fy ôl
Nes torri'r wawr dosturiol.

Tîm Caerfyrddin

I'n tŷ ni daeth Anti Nel – ar y glaw
A'i gŵr glew i 'mochel;
Hi'n bur iach dan ambarél
A Iago'n wlyb i'w fogel.

Dic Goodman

Cyfarch Dafydd Islwyn ar ei urddo i'r orsedd

Ansinistrach Gosa Nostra ni fu
Gan na fedd Odffadda
Monwysgraff; at y Maffia
Mistar Huws i'w mwstro â.

T. Arfon Williams

Lleiafrif

Anwar yw'r heselteinis – sy'n creu
Sŵn Crws a Pholaris;
Gwell yw magnel Meg Elis
I wlad, er gwaetha'r polîs.

Tîm Sir Fflint

Dyddgu oedd od o eiddgar – yna ddoe'n
Ddi-hid rhoes gold-sholdar,
Yn o flin aeth, fel hen iâr;
Na, nid wyf yn edifar.

Myrddin ap Dafydd

Lleiafrif

Os arfau'r hil ddall yw'r gallu – a'r gwn
A'r gell a'r cŵn heddlu
A golud aur gwlad y du,
– Arf i arall yw'r fory.

Tîm Caerfyrddin

Abergwaun 1986

Ffrwydrad ym mhwerdy niwcliar Tsiernobyl; yr Amerig yn bomio Libya; pryder am greu marina ym Morfa Bychan a mwd, mwd, mwd yn eisteddfod bro Dewi Emrys...

Priodas

Hunan ni ŵyr am ffiniau – a'r hunan
Ni ŵyr rannu erwau;
Yn nhir ffyddlon galonnau
Mi wn nad oes mwy na dau.

Ieuan Wyn

Mae'n rhy hwyr, a mi'n rhy hen – yrŵan
I ymroi i'r awen,
Beth yw llwydd, a beth yw llên
A'r rhaw ar bwys yr ywen?

Gwyn Jones

Morfa Bychan

Yn holl ing yr ewyn llaith – yn ei chwa
Mwy ni cheir ond anrhaith
Yn llanw gorffwyll uniaith
Ar raean oer yr hen iaith.

Tîm Meirion

Hyn o Werddon lawn harddwch inni roed,
O'i rhodio'n ein clyfrwch
Ni welwn ond anialwch:
O dan draed mae'r mwd yn drwch.

T. Arfon Williams

Mae'n rhy hwyr, a mi'n rhy hen – yn y boen
Heb air ar fy nalen,
Yma'n stiff a 'mhen yn stên
A rhew yn cloi yr awen.

John Gwilym Jones

Pwllderi

Lle bu'r dwyster yn berwi – a'r dwnsiwn
A'i ddwfwn heb ddofi,
Mae man ar graig y mwni
Fyn ei hawl ar ein cof ni.

Tîm Cymru, Lloegr a Llanrwst

Bro Madog 1987

Sgandal arfau Iran/Contra yn peri trafferth i Reagan; Margaret Thatcher yn ennill etholiad arall eto fyth; Terry Waite yn cael ei herwgipio yn Beirut, a Ieuan Wyn, er mawr lawenydd i'r beirdd, yn ennill y Gadair am ei awdl ysgubol 'Llanw a Thrai'...

Heb ei lwyddiant sawl blwyddyn – a'r awen
Yn treio mor gyndyn
Da iawn wir bod Ieuan Wyn
A'i greu ar frig yr ewyn.

Myrddin ap Dafydd

Cyfrol y Cyfansoddiadau

Tra dyheu fe fydd tir da – i roi nawdd
I'r hen iaith drwy'i gaea',
Ni fetha'r haul fyth yr ha',
Ni heuwyd heb gynhaea'!

Tîm Ceredigion

Hiraeth

Tyr o hyd ar raean traeth – y galon
Ryw don, a'i brwdaniaeth
Ar drai am rywrai a aeth
I'r môr sy'n drwm o hiraeth.

Alan Llwyd

Af hyd galon Eifionydd – i lain gêl
O'r Lôn Goed ysblennydd;
A ffoi i adfer fy ffydd
O helynt yr heolydd.

Ifor Baines

Oedi a threio'n sydyn y mae'r iaith
Fel môr oer ar dennyn,
Da iawn wir bod Ieuan Wyn
Yn gry' ar frig yr ewyn.

T. Arfon Williams

Ffrae mewn caffi

'Cei gadw y cig eidion a dy jips',
Dwedai Jo yn ddicllon;
'Hwda frawd, stwffia dy frôn,
A rho'r sosej i'r Saeson'.

Tîm Dwyfor

Casnewydd 1988

George Bush yn dod yn Arlywydd yr Amerig; trychineb Lockerbie; lladd Abu Jihad, arweinydd y PLO, yn Nhiwnisia; Microsoft yn dod yn gwmni meddalwedd cyfrifiaduron mwya'r byd ac yn yr ymryson, y beirdd yn dathlu adfywiad yr iaith yng Ngwent...

Dilyn dy farn dy hunan – nid â'r dewr
Gyda'r dorf benchwiban,
Y dewr sy'n codi'i darian
Rhag chwerthin y werin wan.

Twm Morys

Er y prawf mewn oriau prudd – ym mhob oes
Mae i bawb lawenydd,
Un gwead yn dragywydd
Yw einioes dyn: nos a dydd.

Myrddin ap Dafydd

Fi enfawr yw'r cyfanfyd – rwy'n arwr
Yn herio yr hollfyd;
Weithiau rwy'n addef hefyd
'Mod i yn gachgi i gyd.

D. Gwyn Evans

Cosb

Er ymwared â'r muriau – a rhwygo
Ar agor y drysau,
Yr ing ydyw cario'r iau
I'w yfory di-farrau.

Tîm Maldwyn

Na fliner mewn dyfnderau, mae i bawb
Ym mhob oes gystuddiau,
Os yw gŵr yn llwyr lesgáu,
Iesu sy'n fwy na'r eisiau.

T. Arfon Williams

Gweld awen mewn tomenni, nid pruddglwyf,
Yr wyf i'n pentrefi;
O agor crawn y gwegi
Tyf eilwaith ein heniaith ni.

Robat Powel

Dyffryn Conwy 1989

Mur Berlin yn cwympo; tanciau'n chwalu protest myfyr-wyr yn Sgwâr Tiananmen; cyhoeddi fatwah ar yr awdur Salman Rushdie, a thîm criced Lloegr yn gwneud mòch o bethau, er mawr ddiléit i'r beirdd...

Beddargraff Tîm Criced Lloegr

Cael haint gan genfaint o gonfics! – hunodd
Britannia mewn sterics:
O, mor drist y statistics
A phŵer Sais aeth ffor sics.

Tîm Meirion/Nant Conwy

Gwystl

Yn yr ornest rhoir cur arno – a phris,
A pha'r ots... cans yno
Y mud yn y gêm yw o
Ac enaid i'w fargeinio.

Tîm Môn

Jacwsi

Ceisiwch gael bath Jacwsi – un i ddau
Llawn o ddŵr sy'n corddi,
Ac o'r swigod sy'n codi
Daw mwynhad iachâd i chwi.

Machraeth

Gwystl

(Wrth gofio am linell Waldo 'Perl yr anfeidrol awr yn wystl gan amser')

Ni all aur fyth ei hennill hi yn ôl
Fwy na wna'r un weddi:
Rhaid rhoi'r cyfan amdani,
Y pridwerth yw'n haberth ni.

Tîm Gweddill Cymru

Marwnad Tîm Criced Lloegr

Tîm Lloeger drwy fwnglerwch – a fowliwyd
I bafiliwn tristwch,
O! Helyg, yma wylwch
Nawr yn Lords uwch wrn o lwch.

Tîm Môn

Ynom o ddydd ein geni – yn ein gwedd,
Yn ein gwaed yn corddi,
O raid mae'n hynafiaid ni
Yn gwthio drwy ein gwythi.

Tîm Gweddill Cymru

Cwm Rhymni 1990

Nelson Mandela'n cerdded yn rhydd o'r carchar; Irac yn goresgyn Kuwait; Margaret Thatcher yn cael ei disodli gan ei phlaid ei hun, a buddugoliaethau Iwan Llwyd a Myrddin ap Dafydd yng nghystadlaethau'r gadair a'r goron yn awgrymu adfywiad ifanc mewn Eisteddfod a gynhaliwyd yng nghanol olion y diwydiant glo...

Er Cof am Mam

Rhoed elor i'w hysbrydoliaeth – rhoed gro
I rydu gras mamaeth,
Pentalar! Oes galar gwaeth?
Diorwel ydyw hiraeth.

John Pinion Jones

Saddam Hussein

'R un mor saff â Gadhaffi – yr un reddf,
'R un rhaid i reoli,
Yr un wên a'r un ynni,
Yr un yw â'n Thatcher ni.

Idris Reynolds

Os hen yw'n hawen, newydd – yw ei beirdd
Sy'n bywhau'r hen ddefnydd,
Ias eu hiaith drwy'i gwythi sydd
Yn gwau'r un gerdd dragywydd.

Peredur Lynch

Oerodd lle bûm yn caru, ac oerodd
Tân gwerin fu'n tasgu,
Aelwyd oes yn ulw du,
Anodd dioddef hynny.

Robat Powell

Os hen yw'n hawen, newydd – y geiriau
A garia'r negesydd;
Eiliad o weld golau Dydd
Ym mynwent y tomennydd.

Gwilym Fychan

Heb foeth, heb dwb i fathio – heb y lŵ
A heb lafn i siafio,
I'n gŵyl af fel dyn y glo:
Rwyf innau'n carafanio.

Peredur Lynch

Bro Delyn 1991

Rhyfel cyntaf y Gwlff yn cychwyn; rhyddhau Terry Waite; yr Undeb Sofietaidd yn gweithredu'n llawdrwm er mwyn chwalu mudiadau rhyddid cenedlaethol yng ngwledydd y Baltig, ac Angharad Tomos yn ennill y fedal ryddiaith dan y ffug-enw Lwli am nofel ysgubol am gymeriad o'r enw Eleni...

Priodas Arian

Yn dawel iawn, ar aelwyd lân, cymer
Di'r alcemydd diddan
At dy waith o drin y tân
A dry'n aur y darn arian.

Tîm Arfon

Cyfarch Angharad Tomos

Ar y lôn arw, Eleni – ai hen wraig,
Ai'r hil oedd dy gwmni?
Oni welaist ti, Lwli,
'N ôl ei throed ein henoed ni?

Iwan Llwyd

Daeth slac ar odl ac acen – a fy nhîm
Uwch fy nhasg ddiorffen,
Yn holl hwyl y Babell Lên
Un tro daeth trai i'r awen.

Tudur Dylan Jones

A'n Hiôr annwyl yn arweinydd mor wych,
Mor hen ond mor newydd
Yng nghymanfa toriad dydd
Yw salm oesol y meysydd.

T. Arfon Williams

Rhy hawdd yw cerddi rhyddion – newidiais
A gwneud cynganeddion;
A'ch braint yw cael ger eich bron
Un gŵr na chadd y goron.

Medwyn Jones

Cyfarch Angharad Tomos

Yn ei helfen yn y ddalfa, yn gweld
Mor gaeth yw'n sefyllfa
Ni yn wir: darlunio wna
Realaeth Gwlad y Rwla.

Tîm Arfon

Aberystwyth 1992

John Major yn cael ei ethol yn Brif Weinidog; Bill Clinton yn cael ei ethol yn Arlywydd yr Amerig; 'glanhau ethnig' yn yr hen Iwgoslafia ac Eisteddfod y Cardis yn dathlu ail gadair Idris Reynolds...

Gwylltio

Mae tymer yn fy merwi – a holl wae
Fy llid sydd yn corddi
Fel cŵn gwallgof ynof i,
Nid wyf am geisio'u dofi.

Tudur Dylan Jones

Anghenfil Loch Ness

Er dawn ymchwilgar dynion – fe erys
Hyd foroedd dychmygion,
A deil anghenfil y don
Yn hen goel yn y galon.

Tîm Ceredigion

Ceffyl Pren

Hen foreau'i gyfrwyo – a welaf,
A gweled, drwy'r siglo,
Yr hen ŵr yn ei bren o,
Henaint yn ymfyddino.

Tîm Gweddill Cymru

Digysur yw seguryd – ni wn i
Yn awr beth yw hawddfyd,
A her yw gofyn o hyd
Am waith, nid am esmwythyd.
Dai Rees Davies

Nid oedd cyfell gwell i'w gael – i wario
Fy arian; o afael
Yn dynn, wedyn ymadael,
Troi ei gefn, a gwneud tro gwael.
Rhys Dafis

Wyf ŵyr gwladwr o Feirion – ddoe rannodd
Yr heniaith i'w feibion,
Yfory bydd fy wyrion
Ym mharhad y Gymru hon.
Dafydd Wyn

Llanelwedd 1993

Yasser Arafat ac Yitzhak Rabin yn dod ynghyd; bomio maes parcio'r World Trade Centre yn Efrog Newydd gan derfysgwyr; Llywodraeth De'r Affrig yn diddymu Apartheid; pasio Deddf yr iaith Gymraeg, a'r beirdd yn yr Eisteddfod ar faes sioe amaethyddol Llanelwedd yn cofio am ddiwreiddio cymuned Gymreig leol o Fynydd Epynt er mwyn creu man ymarfer i'r fyddin...

Diawliaf yng Ngŵyl y Dilyw – yn y glaw
Sy'n stwff gwlyb unigryw,
Stwff gŵr y Bwrdd Dŵr a Duw,
Blinedig goblyn ydyw.

Gwynn ap Gwilym

A dur hen orthrymderau – inni'n drwm,
Ac yn drech na'n gwarrau,
Mae rhai o hyd yn mawrhau
Deunydd ein holl gadwynau.

Peredur Lynch

O'i gafael ias a gyfyd – yna dal
Wedi O! Yr ennyd;
Mae ambell linell o hyd
Yn y mêr yn ymyrryd.

Rhys Dafis

Gwersyll (Epynt)

Aelwydydd i fwledi – aelwydydd
Dan glo ydynt 'leni,
A nerth ein taeogaeth ni
Yw hanes ei sylfeini.

Tîm Caernarfon

Chwalfa

To wrth do, malu ein doeau – fu yma,
Rhoesant fom drwy'n henwau
A'n tai hir, gan wastatáu
Wal gerrig fu'n dal geiriau.

Tîm Meirion

Geiriau

Hwy y deall rhwng deuoedd – hwy y stôr
A'r nos dawch ar strydoedd –
Hwy hefyd yw'r canrifoedd,
Hwy yw pob Cymro a oedd.

Tîm Gweddill Cymru

Nedd a'r Cyffiniau 1994

Nelson Mandela'n dod yn Arlywydd De'r Affrig; Gweithwyr y Tŵr, glofa ddofn olaf Cymru, yn ennill yr hawl i'w phrynu; y rhyfela gwaedlyd yn parhau yng ngwledydd y Balkan, ac Eisteddfod glaw a tharanau...

Rhwng hysbyseb a sebon – yn ddi-iaith,
Mi ddaw yr holl feirwon –
Trwy'i gilydd bob dydd y dôn'
I weiddi eu newyddion.

Twm Morys

Hen Gariad

Unwaith taniwyd ein nwydau – yn eirias
Ond oerodd y fflamau;
Er garwed rhew y geiriau
Mae hen dân rhyngom ein dau.

Tîm Clwyd

Dau chwil yn ceisio dilyn – ei gilydd
O Galway i Ddulyn:
'Yn ddi-os, rwy'n hoff,' medd un,
'O'r diawl sy 'nghwrw'r Delyn.'

Gwilym Fychan

Hunllef Dafydd Islwyn

Un tro daeth trai i'r awen – y gwŷr hoff
A'r holl greu yn gorffen,
Daeth pwrpas Barddas i ben,
A diwedd ar Lloyd Owen.

Tudur Dylan Jones

Wedi'r Ŵyl

Aeth yr Ŵyl yma'n ei thro – i'w therfyn
Ac mae'i thyrfa eto
Yn rhoi cae arall i'r co',
Un Awst arall i'w storio.

Tîm Caerfyrddin

Hen Gariad

Un nos o haf gwelais hi – rhoddais wên,
A rhoddais winc iddi;
Ac, er fy mod 'di priodi,
Un nos o haf, pechais i.

Tîm Ceredigion

Bro Colwyn 1995

Milwyr Rwsia'n dinistrio egin-lywodraeth annibynnol Chechnya; cyflafan Srebrenica; Yitzhak Rabin yn cael ei lofruddio, a'r ymryson wedi colli un o'i leisiau mwyaf talentog a hoffus, yn dilyn marwolaeth D. Gwyn Evans...

Onid yw yn natur dyn – i durio i
Ddyfnderoedd ei gyd-ddyn
Erioed, cyn llithro wedyn
I'w arch heb nabod ei hun?

Tîm Caernarfon

Gwefr-yrrwr

Olwynion yn diflannu i rywle,
A'r hewl yn fy nhynnu
At y sêr, ond pa ots sy'?
'Nhroed lawr a dal i yrru.

Tîm Gweddill Cymru

Ynom oll y mae un man – lle mae'n nos,
Lle mewn niwl yn griddfan,
Erw noeth a'i sêr yn wan
Na ellir ei gau allan.

Myrddin ap Dafydd

Yn y cof mae caeau ŷd hafau hir
Cyforiog fy mebyd
Yn aur oll, yn aur o hyd,
A rhwydd yw eu cyrhaeddyd.

T.Arfon Williams

I gofio Gwyn

Sychodd casgen y Frenni – ni redodd
Ei ffrwd yma 'leni,
Ond Gwyn ddeil i'n digoni
Ac oeda'n hir gyda ni.

Tîm Ceredigion

Adnabod

Taer, taer y bûm yn taeru na wadwn,
Na wadwn, ond gwadu
O hyd yr wyf, a, phan dry,
Dwys, dwys yw llygaid Iesu.

Tîm Morgannwg

Bro Dinefwr 1996

Cadoediad yr IRA yn dod i ben gyda bomiau yn Llundain; lluoedd y Taliban yn ennill tir yn Afghanistan, a'r beirdd yn od o optimistaidd...

Tafodiaith

Heb hon, mae'r rhesi pinwydd – yn dawel
A du hyd y mynydd,
Ond daw ei mellt â gelltydd
Y wlad wyllt i olau dydd.

Tîm Gweddill Cymru

Heibio'r â'r rhai sy'n gwybod – am y byd
Am ei boen a'i drallod;
Ni ŵyr Ifan yr Hafod
Un dim, ond bod fory'n dod.

Gwilym Fychan

Pe cawn y ddawn i ddenu – rhai o'r sêr
I siario fy ngwely,
Yna câi rhyw hen datcu
Dueddiad i brydyddu.

Emyr Jones

Ni ŵyr Ifan yr Hafod – o'i domen
Fod yma Eisteddfod;
Boi ar wahân bu erio'd
I'r rhai edwyn ei ddrewdod.

Euros Siôn Ifan

Pont

Daw Ionawr â'i rew dani – dwyreinwynt
I daranu drwyddi;
Os yw'n oer, os hen yw hi,
Daw rhyw Awst eto drosti.

Meirion Macintyre Huws

Ynom oll y mae o hyd y gallu
Pan fo'r gwyll yn benyd
I ganfod gwên am ennyd
Er y boen, twll tin i'r byd.

Dafydd John Pritchard

Meirion a'r Cyffiniau 1997

Tony Blair yn cael ei ethol yn Brif Weinidog; llywodraeth Prydain yn pleidleisio i wahardd gynnau llaw; sofraniaeth dros Hong Kong yn dychwelyd i ddwylo Tsieina; clônio Dolly'r ddafad; Cymru'n pleidleisio mewn refferendwm dros gael Cynulliad a phabell Wa Roc yn sicrhau Eisteddfod fywiog yn y Bala...

Stondin y Samariaid

Dan gysgod ei dinodedd – mae 'na glust
Mewn gwlad ddiymgeledd,
Yno o hyd rhwng byd a bedd
Mae einioes o amynedd.

Tîm Ceredigion

A dorrais ym myw derwen – y galon,
Fe'i gwelais ar gangen
Ryw fin nos a'r haf yn hen:
Saeth hiraeth dwy lythyren.

Rhys Dafis

Ni wn i am neb sy'n waeth – yn y byd
Na bois Bwrdd Twristiaeth.
Iddynt, ein hetifeddiaeth
Ydyw'r trwst wna heidiau'r traeth.

Richard Parry Jones

Wa Roc

Y nhw a'u holl egnïon – yw curiad
Y cerrig mewn afon
Yn dwyn dawns, o dan y don,
I ni a'n hen ganeuon.

Tîm Gweddill Cymru

I Gapten y Mimosa

Yn rhydd o'n trugareddau – yr holwn
Am rywle heb feichiau,
Nid oes ond y ni ein dau,
Ni'n unig, ni a'n henwau.

Iwan Llwyd

Y Fasnach Arfau

Clyw di, cyn iti ateb – yn rhy wâr,
Mewn greddf mae doethineb;
Pryna hwn, rhag peri i neb
Ei danio yn dy wyneb.

Tîm Morgannwg

Bro Ogwr 1998

Cytundeb Gwener y Groglith yn dod â heddwch i Ogledd Iwerddon; India a Phacistan yn cynnal profion arfau niwcliar; sgandal Monica Lewinsky yn bygwth Bill Clinton ac ambell fardd yn obeithiol am y Cynulliad Cenedlaethol newydd...

Yn y talwrn cyfoes tila – mor wag
Mor wan yw'r llinella',
Mae rhai ddoe o hyd mor dda:
Mor anodd yw meurynna.

Myrddin ap Dafydd

Siwt

Er gloywed ei llabedi – er dyfned
Yw'r defnydd sydd iddi,
Does osgoi o'i diosg hi
Dy hunan noeth o dani.

Tîm Ceredigion

Ar herw unig yn rhynnu – yn sorri
Wrth y sêr am wenu,
A'u llwyth bron iawn â'n llethu,
Ymhen y daith, mae 'na dŷ.

Twm Morys

Dyddiad

Un fwyelliad drawiadol – a'r ennyd
Yn rhan o'm gorffennol;
Drwy y niwl daw'r dur yn ôl
I naddu yn flynyddol.

Tîm Clwyd

Er dod o bobman yma'n haid – yn Awst
Gyda'n hiaith am ysbaid
Adre'r awn rywdro o raid
Adre i Awst o dwristiaid.

Tudur Dylan Jones

Wedi'r oesoedd o'u drysu – yr addo
A'r freuddwyd yn pylu,
Eilwaith i'n diogelu
Ymhen y daith mae 'na Dŷ.

John Hywyn

Môn 1999

Ethol Cynulliad Cenedlaethol Cymru a phenodi Alun Michael yn 'Brif Ysgrifennydd'; Rhyfel Cosofo; Slobodan Milosevic yn cael ei gyhuddo o droseddau rhyfel; Bill Clinton yn cael ei glirio yn yr achos uchel-gyhuddo, ac wedi storm ddechrau'r wythnos, roedd hi'n dywydd braf yn yr Eisteddfod...

Ni welir un ymbrela – yn fy myd,
Fy maes sy'n llawn hindda;
Yma mewn siorts, mae naws ha'
Yn neis i fyny 'nghoesa'!

Rhys Dafis

Fy nhad

O'i wylio yn ei waeledd – wedi mynd
Mae'i wên a'i arabedd;
Unwaith mor ddiamynedd –
Yn ara' bach 'r aeth i'r bedd.

John Glyn

Ni welir yr un Wili – yn oriel
Y chwiorydd eleni
Oes yma rai 'di siomi
Ar y maes? Ffonier i mi.

Machraeth

Yr A5

Yma, ymysg ymlusgiaid y tarmác,
Trwy'r mwg a'r dieithriaid,
Daw o bell garnau di-baid
I daranu drwy'r enaid.

Tîm Ceredigion

Perthyn

Un haid wen yn mynd a dod – a'r eigion
Yn ein rhegi isod,
Dyna y'm adar di-nod –
Mileniwm o wylanod.

John Glyn

Mae'n dyrfau am fod Arfon – wedi mynd
Ond mae o'n ein calon
Yma, mi wn, a bydd Môn
Eleni'n llawn englynion.

Emyr Lewis

Llanelli 2000

Mileniwm newydd, a 'dan ni yma o hyd, er bod rhai ohonom fu unwaith yn rebels go iawn wedi parchuso bellach, ac awdurdodau'r cyfrifiad yn gwrthod yr hawl i ni alw'n hunain yn Gymry; helyntion difrifol yng Ngogledd Iwerddon; Rhodri Morgan yn dod yn Brif Weinidog Cymru a phawb yn cael eu bysio i Eisteddfod tre'r Sosban ar Barc Arfordirol y Mileniwm...

Er mor chwantus y gusan – ti a mi
A'r môr dan y lloergan –
Wedi mynd mae'r tywod mân
O nos Sadwrn Cefn Sidan.

Gwilym Fychan

Yr Urdd Oren

Y Boyne mewn dillad bonedd – drymiau Cred
Yn Drumcri'n atgasedd,
A sioe ei ddoe di-ddiwedd
Yn 'Sieg Heil' i D'wysog hedd.

Tîm Maldwyn

Os wyt yn ceisio ateb – i gleisiau
Sy'n glasu fy wyneb,
Un annwyl ei gasineb
A wnaeth, a'i enw yw 'neb'.

Nia Powell

Os wyt yn awr, a'th siwt yn wyn – a'r rhes
Camerâu'n dy ganlyn,
Troist dy gefn ar y llefnyn
A'i fast iaith, a'i lîfeis tyn.

Twm Morys

Gwisg Wen

Os swil yw afon Gwili – a gwenwisg
Tarth y gwanwyn drosti,
Dod mae'r haul i'w dadmer hi'n
Dyner oddi amdani.

Tîm Morgannwg

Cyfrifiad

Ni allwn fforddio colli nod ein bod,
Neu bydd cofeb inni
Sy'n sarn heb enw arni;
Yma'n neb, 'eraill' y'm ni.

Rhys Dafis

Dinbych 2001

George W. Bush yn cael ei urddo'n Arlywydd yr Amerig; gŵr o Libya'n cael ei ganfod yn euog o achosi cyflafan Lockerbie; Milosevic yn cael ei restio a'i gyhuddo; ymosodiadau al-Qaeda ar y World Trade Centre a'r Pentagon; sefydlu'r mudiad Cymuned ac, am y tro cyntaf mewn hanes, merch, Mererid Hopwood, yn ennill y gadair, ond yn rhy hwyr i feirdd yr ymryson ei chyfarch...

Os llosga'r gannwyll gan bwyll bach, nid oes
Un dim sydd yn sicrach;
Darfod wna'n hwyr neu'n hwyrach,
Cynnau hon yw canu'n iach.

Rhys Dafis

Yn ei dân, un hen denor – a wichiodd
Â'i ddwy foch yn borffor,
O, curodd Ffowc, crydd y Ffôr
Caruso'n Steddfod Croesor.

Myrddin ap Dafydd

Ym Mhernambwco

Heb 'run ffôn, beiro na ffacs – yn eistedd
Mewn hen westy tintacs,
O wyf, yr ydwyf yn rhacs
Yn canu ar ôl coniacs.

Twm Morys

Rwy'n cofio rheithor Rhuthun – yn dannod
Godineb, ond wedyn
O'i weled â gwraig Colin
Gwaeth yw na'i bregeth ei hun.

Ynyr Williams

Clôn

O egin y glas eu llygaid – heb fefl,
Heb fam na'i hochenaid,
Mi ddaw un hedyn yn haid:
Dewiniaeth y dienaid.

Tîm Gweddill Cymru

Tyfodd blodeuyn unwaith – yn eiddil
Ac fe'i lladdwyd ganwaith
Eto herio'r pladurwaith
Yn ara' deg wna'r had iaith.

Gwenallt Llwyd Ifan

Tyddewi 2002

Y 'rhyfel yn erbyn terfysgaeth' yn magu stêm; hunanfomio ar gynnydd; y Cynghorydd Seimon Glyn yn tynnu nyth cacwn am ei ben oherwydd sylwadau am effaith mewnfudo ar yr iaith, a'r Eisteddfod dan gysgod Carn Llidi...

Ymson Ieuenctid Cefn Gwlad

Mor annwyl im yw'r hen le – mor annwyl
Ym mryniau fy nharddle;
Ond treiglaf i o'm trigle,
A'r dŵr hwn, at olau'r dre.

Gwenallt Llwyd Ifan

'Nid wyf yn mynd i yfed – yn y Bull
Efo'r beridd didrwydded...'
'O, myn Duw! Pam hynny, dwêd?'
'Achos, does gen i'm syched.'

Twm Morys

Mae ein gwlad medd Seimon Glyn – yn datod,
Ond eto mae gwelltyn
Ddoe yn dal â'i wraidd yn dynn
Yn obaith ar y dibyn.

Myrddin ap Dafydd

Hunan-fomiwr

A glywch chi'n y taw wedi'r gawod waed,
Ar hen wynt digymod,
Sŵn y dorf ddi-lais yn dod
O'u tai yn stormydd tywod?

Gweddill Cymru

Cau Ffatri Dewhirst yn Aberteifi

Mae'r glatsien mor drwm heno – er imi
Sawl tro amau'r addo;
Gwêl y wlad, a'r iet ar glo,
Obeithion yn dadbwytho.

Emyr Davies

Galwad Ffôn

A hi'n llwyd dros Garn Llidi – 'ti'n clywed?
Wyt ti'n clywed, Dewi,
Drwy'r niwl ein paderau ni
Ar y lein hir eleni?

Tîm Morgannwg

Meifod 2003

Ail ryfel y gwlff yn cychwyn wrth i luoedd yr Amerig a Phrydain oresgyn Irac; Tsieina'n dechrau gwaith ar gronfa ddŵr y Tri Cheunant fydd yn golygu bod 1.9 miliwn o bobol yn colli eu cartrefi; Rhodri Morgan yn cael ei ail-ethol yn Brif Weinidog Cymru athywydd poeth poeth poeth yng nghanol mwynder Maldwyn...

Heriais y tyfwn hwyrach – i weled,
Tros wal y gyfrinach,
Rhyw ardd sydd lawer harddach;
Yr wyf i o hyd rhy fach.

Gwilym Fychan

Cwch

Uwchlaw dŵr ein harbwr ni, yr eiliad
Pan fo'r hwyliau'n llenwi,
Yr wyt am fwrw ati –
Wn i ddim a feiddia' i.

Tîm Caerfyrddin

Yr un rhai triw yn rhoi tro, a'i deulu'n
Dod i alw heibio;
Un neu ddau drwy'i gystudd o;
Y rhelyw yn ffarwelio.

Rhys Dafis

Gŵr rhy bwyllog rwy bellach – i sefyll
Lle saif y rhai dewrach,
Nid tal lle gellir talach,
Yr wyf i o hyd rhy fach.

Idris Reynolds

Gwelais Ifor un bore; – mi soniodd
Am swyn carafáne,
Haul poeth a hwyl y Pethe:
Bôr ydi Ifor, yndê?

Twm Morys

Daeth yma ei hun am unnos; yn ei ôl
A'i deulu am wythnos;
Yna'r haf prynodd Ty'n Rhos.
Y mae Eric am aros.

Gwilym Fychan

Casnewydd 2004

Cyflafan erchyll yn Darfur; y CIA yn cydnabod nad oedd arfau dinistriol gan Irac; George W. Bush yn cael ei ail-ethol yn arlywydd yr Amerig; Prif Weinidog newydd yn Sbaen wedi bom al-Qaeda ym Madrid, ac yn yr Eisteddfod bariau yn gwerthu Guinness yn y gwres wrth i genhedlaeth newydd o gynganeddwyr ddechrau herio'r hen stejars...

Hen siom yw gorfod symud – o neuadd
Y gwmnïaeth hyfryd,
Ofni tyfu, ond hefyd
Mae lôn well ymlaen o hyd.

Iwan Llwyd

Afon

Daeth yr eog i'r Ogwr – yn holliach,
Ond collwyd y glöwr,
I mi harddach ei merddwr
Na gwlad wag loyw ei dŵr.

Tîm Maldwyn

Y Liffey

A'r Maes Glas wedi crasu – mi ddaeth hon
O 'Werddon i'w harddu,
A mynd, fesul defnyn du
A gwyn, yn fôr o ganu.

Tîm Y Byd

Mae'r hafau'n nacáu mynd o'r co' – mae Mai
Fel sŵn merch yn sgipio'n
Uniaith, ond mae 'na heno
Sŵn glaw yn fraw dros y Fro.

Hywel Griffiths

Disgyblion Ysgol Gwynllyw

Fe fydd, cyn bo hir, fyddin, na wyddant
Am feddau'r Gododdin,
Yn mentro i'r iard er mwyn trin
Arfau iaith yn Nhrevethin.

Aneirin Karadog

Llys Ifor Hael

Wedi agor llys diogel ein gŵyl ni
I gael nawdd, gwnawn adel
Am fro gan anghofio hel
O'r tŷ fieri tawel.

Tîm Dirgel